Marie-Claude. P.

l'évangile en papier

C'était mon ami,
non,
c'était mon frère,
c'était Jacques Desnoyers.

Claude

l'évangile en papier

Henriette Major
Claude Lafortune

FIDES

235 EST, BOULEVARD DORCHESTER, MONTRÉAL

Texte : **Henriette Major**

Conception visuelle : **Claude Lafortune**

Recherche : **Jean-Guy Dubuc**

Coordination pédagogique : **Pierre Dufour**

Photographies : **Jean-Louis Frund**

Photographies pages 21 et 38 : **Pierre Labelle**

Dessin page 40 : **Nathalie Lafortune, 8 ans**

Avec la permission de l'Ordinaire de Montréal, nº 7 — 15 avril 1977

Dépôt légal — 2e trimestre 1977. Bibliothèque nationale du Québec.

ISBN : 2-7621-0641-9

Achevé d'imprimer à Beauceville, par la Cie de l'Éclaireur Ltée,
le deuxième jour du mois d'avril de l'an mil neuf cent quatre-vingt,
d'après la sélection de couleurs réalisée par Lithochrome (74) Inc.

EC—3569—80

Marie et Joseph

Il y a près de 2,000 ans, dans la petite ville de Nazareth en Palestine, vivait une jeune fille nommée Marie. Comme toutes les jeunes filles de son temps, elle aide sa mère à tenir la maison, à faire les repas, à filer la laine pour tisser les étoffes nécessaires à la confection des vêtements. Marie n'a qu'une quinzaine d'années, mais elle est déjà fiancée.

En effet dans plusieurs pays, il est d'usage encore aujourd'hui de se fiancer et de se marier très jeune. Marie et Joseph sont promis l'un à l'autre ; Joseph est charpentier de son métier. L'histoire le décrit comme un homme juste et bon, qui gagne bien sa vie en exerçant son métier.

L'Annonciation

Un jour, la jeune Marie est seule chez elle, peut-être en train de filer la laine pour préparer son trousseau. Absorbée par son travail, elle est très surprise en relevant la tête, d'apercevoir devant elle un mystérieux inconnu. C'est un messager de Dieu, l'ange Gabriel.

— Je te salue Marie, toi que Dieu a comblée de grâce ; le Seigneur est avec toi.

— Vous connaissez mon nom ? Qui vous envoie ici ?

— Rassure-toi car Dieu t'a choisie ; Dieu va faire de toi une maman ; tu auras un fils à qui tu donneras le nom de Jésus.

— Je vais avoir un bébé ? Moi, je veux bien, mais comment cela est-il possible ? Je ne vis pas encore avec Joseph, mon futur époux...

— L'Esprit-Saint viendra sur toi ; ton fils sera le fils de Dieu.

— Je suis la servante du Seigneur. J'accepte ce que tu m'annonces en son nom.

La Visitation

Marie avait une cousine nommée Élisabeth. Peu après avoir reçu la visite de l'ange Gabriel lui annonçant qu'elle sera mère du Messie, Marie apprend que sa cousine Élisabeth attend elle aussi un enfant. Aussitôt, Marie décide d'aller rendre visite à sa cousine pour lui offrir ses services.

— Ah ! Élisabeth ! lui dit Marie, je suis tellement heureuse ! Si tu savais... Mon cœur chante le Seigneur, mon esprit est rempli de joie parce que Dieu, mon Sauveur a jeté les yeux sur moi, son humble servante. Tous les hommes d'aujourd'hui et des temps futurs sauront que je suis bienheureuse car le Dieu tout-puissant a fait en moi de grandes choses. Je l'en remercie de tout mon cœur. Il réalise en moi toutes les promesses qu'il a faites à nos pères. Il s'est occupé de ses enfants, il les a secourus.

Marie est restée chez sa cousine plusieurs semaines ; elle l'a aidée à tout préparer pour la naissance de son bébé. Enfin, Élisabeth mit au monde un garçon ; on l'appela Jean.

La naissance de Jésus

Sur une route de montagne, entre la Galilée et la Judée, une jeune femme enceinte accompagnée de son mari s'avance lentement. Ils ont l'air fatigués. Ils sont partis de Nazareth en Galilée ; ils se rendent à Bethléem en Judée. Ils obéissent à un ordre de César Auguste, empereur de tout l'empire romain. Cet empereur a ordonné un grand recensement. Chacun devait se rendre au lieu d'où venait sa famille pour aller s'inscrire.

Marie et Joseph étaient donc obligés, pour se conformer à la loi, de se rendre à Bethléem, village d'origine de leurs familles respectives. Après avoir marché toute la journée, Marie et Joseph arrivent à Bethléem. À cause du fameux recensement, le village de Bethléem avait reçu un nombre inhabituel de visiteurs. Marie et Joseph, qui sont arrivés assez tard dans la soirée, ne trouvent plus de place dans l'hôtellerie du village. Pas de place non plus chez les gens de leur connaissance. Joseph est bien ennuyé : Marie est très lasse ; il faut absolument lui trouver un abri pour la nuit. D'autant plus que les nuits sont froides en Palestine à ce temps de l'année.

Tout à coup, Joseph a une idée : il se souvient que les bergers de la région se réfugient souvent dans des grottes de la montagne quand les nuits sont froides. C'est là qu'il conduira Marie. C'est là que naîtra Jésus.

Une femme comme une autre, mais pourtant unique, a donné naissance à un enfant qui ressemble à tous les autres. Mais cette naissance va changer la face du monde, car cet enfant est le fils de Dieu. On l'appellera Jésus, ce qui veut dire « Dieu nous vient en aide ».

L'adoration des bergers

Certains bergers s'entendaient entre eux pour rassembler les troupeaux et pour les surveiller en groupe. À tour de rôle, ils passaient la nuit éveillés pour être prêts à chasser les bêtes sauvages et les voleurs. Cette nuit-là, non loin de la grotte où Marie et Joseph se sont réfugiés, un groupe de bergers est installé en plein air. Tout est calme. Seul, le son de la flûte s'élève dans la fraîcheur de la nuit.

Tout à coup, l'atmosphère change. Il se fait une grande lumière. À travers cette lumière, une voix se fait entendre. Les bergers qui dormaient s'éveillent ébahis.

« Je vous annonce une grande joie : aujourd'hui, un Sauveur vous est né.

Gloire à Dieu au plus haut des cieux.

Et paix sur la terre à ceux qu'il aime. »

Les bergers s'empressent d'aller adorer l'enfant Dieu qui vient de naître. Ils lui apportent d'humbles cadeaux.

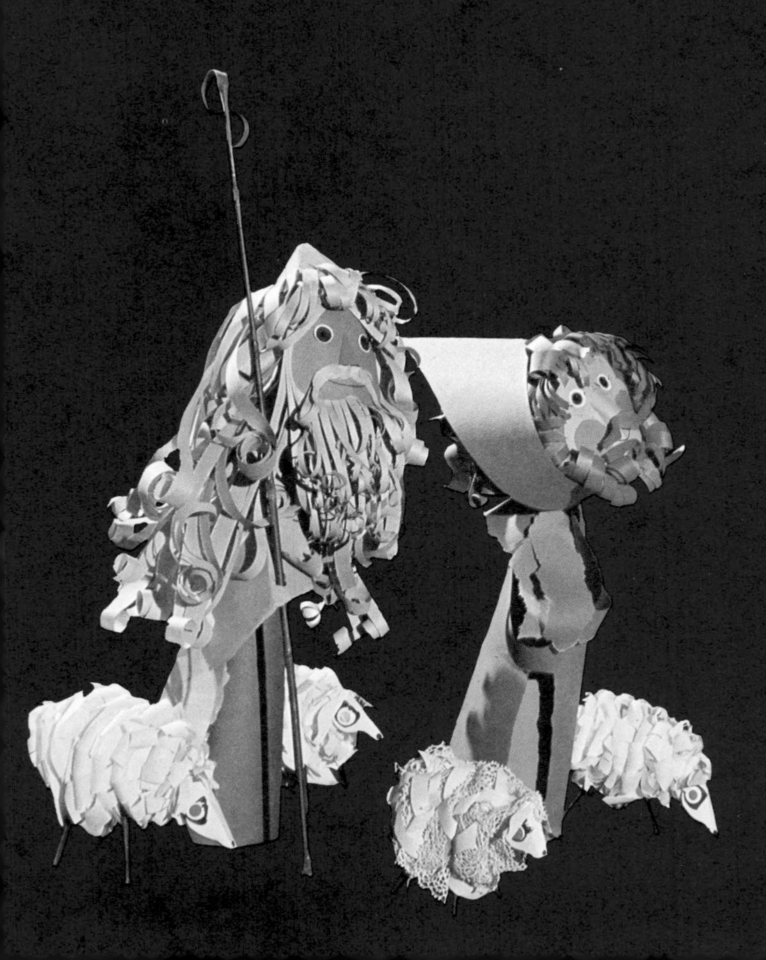

La visite des Mages

Dans un pays voisin de la Palestine, trois savants qu'on appelait des Mages passaient leurs nuits à observer le ciel. Voilà qu'un soir, ils virent apparaître une étoile nouvelle. Ils décidèrent de suivre cette étoile.

Après la naissance de Jésus dans une grotte de la montagne, Marie et Joseph passèrent quelque temps à Bethléem.

L'étoile conduit les Mages à Bethléem. Marie et Joseph préparent tranquillement leur retour à Nazareth, tout en s'occupant tendrement du nouveau-né. Un jour, ils ont la surprise de voir apparaître les riches visiteurs.

Les trois Mages offrent à l'enfant ce qu'ils ont de plus beau : de l'or, de l'encens et de la myrrhe.

Jésus au temple

Jésus a maintenant douze ans. Le voici en compagnie de Marie et Joseph et de quelques autres parents et amis. Tous ces gens sont en route vers la ville de Jérusalem pour y célébrer la fête de Pâque.

Comme tout petit Juif de son âge, Jésus est très impressionné par son premier contact avec le temple. Il se promène d'un parvis à l'autre, n'ayant pas assez d'yeux pour tout admirer. Jésus circule parmi la foule, tantôt accroché au bras de sa mère, tantôt sur les pas de son père.

S'éloignant de ses parents, il s'en va tranquillement vers les prêtres et les scribes attachés au service du temple.

Lorsque les groupes se reforment, pour prendre le chemin du retour, Marie s'en va avec les femmes et Joseph, avec les hommes, comme c'est la coutume. À la première halte, ils se rendent compte que Jésus n'est pas avec eux.

Marie et Joseph sont très inquiets : ils courent vers Jérusalem, anxieux de retrouver leur fils unique. Pendant que ses parents s'affolent, Jésus est tout simplement en train de discuter avec les scribes et les docteurs de la loi. Ceux qui l'écoutent sont stupéfaits de trouver une telle intelligence chez un enfant de douze ans. Marie lui dit :

— Mon enfant, pourquoi as-tu agi ainsi avec nous ? Ton père et moi, nous étions très inquiets...

— Il fallait bien qu'un bon jour je m'occupe des affaires de mon Père, répondit Jésus.

Bien sûr, Jésus fait allusion à son Père du ciel. Mais ses parents de la terre, encore angoissés, ne comprennent pas...

Ils revinrent tous à Nazareth. Et Jésus était soumis à ses parents. Et il grandissait en taille et en sagesse, devant Dieu et devant les hommes.

Jean le baptiseur

La région sud de la Palestine, était en ce temps-là une région sauvage et inhabitée. C'était une terre tellement aride qu'on l'appelait parfois le désert. Toutefois, une petite rivière y coulait, le Jourdain. Dans cette région, un nommé Jean s'était mis à prêcher. Cet homme c'était le fils d'Élisabeth, le cousin de Jésus. Il baptisait les gens en les plongeant dans l'eau du Jourdain ; c'est pourquoi on l'avait surnommé le baptiste ou le baptiseur.

— Je suis la voix de celui qui crie dans le désert, dit Jean le baptiseur. Attention ! Préparez-vous ! Préparez vos cœurs. Je vous annonce que Dieu vient... C'est de moi que les prophètes ont dit : j'envoie un messager pour préparer le chemin. Je prépare le chemin du Seigneur, j'aplanis la route, je remplis les fossés, je rabote les bosses. Je fais une belle route droite, sans détour, sans cailloux, pour que tout le monde puisse voir arriver le Seigneur.

La foule s'écrie :

— C'est le prophète Élie ! C'est le Christ ! C'est le Messie !

Mais Jean leur répond :

— Je ne suis ni le Christ, ni Élie, ni même un grand prophète comme ceux d'autrefois. Moi, je baptise dans l'eau, c'est peu de chose. Mais je vous annonce qu'un autre viendra, qui sera plus grand, plus puissant. Il est déjà au milieu de vous, mais vous ne le connaissez pas encore. Cet autre est tellement important que je ne suis même pas digne d'attacher ses sandales. Lui, il baptisera en vous donnant l'amour de Dieu. Préparez-vous, c'est pour bientôt...

Jésus

de Nazareth

Jésus a maintenant une trentaine d'années, il quitte sa ville de Nazareth pour se rendre au sud de la Palestine, dans la région où Jean le baptiseur attire des foules depuis déjà quelque temps.

Le Baptême de Jésus

Jésus s'approche de l'endroit où prêche Jean le baptiseur ; celui-ci le reconnaît.

— Le voilà celui dont je vous parlais, celui dont je ne suis pas digne d'attacher les sandales, celui que tout le monde attend... Le voilà, celui qui va grandir et paraître au grand jour pendant que je diminuerai et disparaîtrai...

— Jean, Jean le baptiseur, veux-tu me donner le baptême dans l'eau du Jourdain ?

Pendant que Jean baptise Jésus, une colombe descend au-dessus de sa tête et on entend une voix venue du ciel disant : « Celui-ci est mon fils bien-aimé : écoutez-le. »

Les premiers amis de Jésus

Beaucoup de Juifs du temps de Jésus exerçaient le métier de pêcheurs. Ces pêcheurs étaient des gens simples, peu instruits ; ils gagnaient péniblement leur vie et n'étaient pas très riches. C'est parmi ces gens que Jésus a choisi ses premiers amis. Il avait rencontré quelques-uns d'entre eux autour de Jean le baptiseur. Les deux premiers à suivre Jésus après son baptême se nommaient André et Jean. Ils ont accompagné Jésus lorsqu'il a quitté la Judée.

De retour en Galilée, au bord du lac de Tibériade, Jésus rencontre Simon, le frère d'André. Il lui dit :

— Tu es Simon, fils de Jean. Désormais, tu t'appelleras Céphas, c'est-à-dire Pierre.

Puis, il dit au petit groupe de pêcheurs :

— Suivez-moi : je vous ferai pêcheurs d'hommes.

Peu à peu, Jésus forme autour de lui une équipe de douze hommes, qu'on appellera plus tard « les douze Apôtres ». Ces douze amis de Jésus le suivent partout : ils parcourent les villes et les villages de la Galilée faisant le bien et annonçant le Royaume de Dieu. Voici les noms de ces amis de Jésus : Simon-Pierre, Jean, Jacques, André, Philippe, Barthélemy, Matthieu, Thomas, Jacques, fils d'Alphée, Simon, Jude et Judas Iscariote.

Jean

Simon-Pierre

Jacques
le Majeur

André

Philippe

Thomas

Matthieu

Barthélemy

Jacques le Mineur

Simon

Jude

Judas
Iscariote

Les noces de Cana

Nous voici en Galilée, dans le village de Cana. Depuis quatre ou cinq jours, c'est la noce chez un des plus riches fermiers de la ville. À cette noce, Jésus est invité avec sa mère et ses disciples. Bien sûr, les organisateurs de la noce avaient prévu plusieurs cruches de vin, car dans une telle fête, il est d'usage de bien manger et de bien boire. Mais voilà qu'au beau milieu de la fête, alors que les invités tout joyeux réclament du vin, les serviteurs commencent à s'affoler : les cruches sont vides... Il n'y a plus de vin.

La mère de Jésus s'est bien rendue compte de l'énervement de ses hôtes. Elle sait bien, elle, que son fils Jésus n'est pas un homme comme les autres ; elle se doute bien qu'il peut faire des choses extraordinaires. Alors, confiante dans l'amour de Jésus pour elle, elle décide de faire appel à lui pour tirer d'embarras les gens qui les ont invités.

— Tu sais, ils n'ont plus de vin...

— Mon heure n'est pas encore venue...

Cependant Jésus décide de faire quelque chose pour aider les gens de la noce.

— Remplissez d'eau ces jarres, dit-il aux serviteurs. Puisez maintenant et portez-en au maître du repas.

Goûtant l'eau que Jésus vient de changer en vin, le maître du repas s'écrie en appelant le marié :

— Mais ce vin est excellent ! Il est bien meilleur que celui que vous avez fait servir en premier ! Tout le monde sert d'abord le meilleur vin, et quand tous les gens sont un peu gais, on peut servir du vin moins bon. Mais vous, vous avez gardé le bon vin jusqu'à maintenant.

Jésus à la prière de sa mère, avait changé l'eau en vin. C'était le premier miracle de Jésus de Nazareth, et à partir de ce moment, ses disciples crurent davantage en lui.

La pêche miraculeuse

Ce jour-là, Jésus se trouvait au bord du lac de Tibériade. Comme souvent, il était entouré d'une foule nombreuse et empressée. Sa réputation de prophète s'était répandue : on venait de partout pour le voir et l'entendre. Pressé par les gens qui se bousculent, Jésus regarde autour de lui ; il cherche un endroit où se réfugier ; il aperçoit ses amis pêcheurs qui viennent justement d'aborder. Jésus monte dans leur barque.

Lorsqu'ils sont rendus au large, Jésus commande à ses amis de lancer leurs filets. Ceux-ci répondent :

— Maître, nous avons pêché toute la nuit dernière sans rien prendre ; pas un seul poisson. Ce n'est pas un bon temps pour la pêche.

— Moi, je vous dis de lancer quand même vos filets.

— Nous avons travaillé bien dur et nous sommes fatigués, mais si tu dis qu'il faut lancer nos filets, nous allons le faire.

Et voilà que les filets se remplissent de poissons, tellement que les pêcheurs ont peine à les retirer. Pierre s'écrie :

— Éloigne-toi de moi, Seigneur, ne reste pas avec moi, car toi, tu es tellement grand et bon, et moi, je ne suis qu'un pauvre homme au cœur rempli de péchés...

— Ne t'inquiète pas, mon ami Pierre ; désormais, ce ne sera plus des poissons que tu prendras, mais des hommes... Au lieu d'attirer des poissons avec tes filets, tu attireras des hommes avec tes paroles.

La pêche miraculeuse est un autre signe que Jésus a donné à ses apôtres pour leur montrer qu'il faut lui faire confiance.

La guérison du paralytique

Jésus était de plus en plus connu en Galilée. Dès qu'il arrivait quelque part, beaucoup de gens se précipitaient pour le voir et l'entendre, et aussi, pour être témoin de l'un de ses miracles dont tout le monde parlait. Ce jour-là, Jésus était entré dans une maison ; aussitôt, une foule de gens s'était précipitée dans la maison et dans la cour de cette maison. Tout à coup arrivèrent des brancardiers qui transportaient sur une civière un malade paralysé.

La foule se bouscule autour de Jésus. Les brancardiers n'arrivent pas à passer. La plupart des maisons en Palestine avaient un toit en terrasse et un escalier extérieur. Les amis du paralytique sont débrouillards ; par cet escalier, ils portent leur ami sur le toit. Les toits de ces maisons sont faits de grosses branches recouvertes de terre glaise. Rien de plus facile que d'écarter quelques branches de façon à percer une ouverture ; par cette ouverture, nos deux brancardiers font descendre leur ami paralysé juste aux pieds de Jésus.

Jésus dit au paralysé :

— Ne t'en fais pas mon ami : je te pardonne tout ce que tu as pu faire de mal. Tes péchés te sont remis.

Les scribes et les Pharisiens sont indignés. Ils se disent :

— De quoi se mêle ce Jésus de Nazareth ? Dieu seul peut pardonner les péchés.

Alors, Jésus leur dit :

— Même si vous parlez bas, je connais les mauvais sentiments qui sont dans vos cœurs. Vous croyez que je blasphème ? Comme vous manquez de foi ! Sachez que pour moi, il est aussi facile de dire « je te pardonne », que de commander « lève-toi et marche », car je suis le maître des cœurs en même temps que le maître des corps... En voici la preuve. Toi, qui es venu à moi sur une civière, lève-toi, reprends ta civière, et retourne dans ta maison !

Et le paralytique se lève, ramasse sa civière, et s'en va. Pour Jésus, il n'est pas plus difficile de guérir les cœurs que de guérir les corps.

Les Pharisiens

Le peuple juif adorait un seul Dieu, un Dieu invisible. La religion juive, comme toutes les religions, imposait à ses membres un certain nombre de lois et de pratiques. Les docteurs de la loi, les scribes et les Pharisiens, étaient les gardiens et les interprètes de cette loi auprès de gens du peuple. Ces scribes et ces Pharisiens avaient, comme on dit, une belle situation : ils étaient habillés richement ; ils avaient de belles maisons ; leur aspect prospère en imposait ; les gens simples traitaient ces personnages avec respect, d'autant plus qu'ils se proposaient comme les plus fidèles observateurs de la loi. On comprend que l'arrivée de Jésus les dérange beaucoup ; cet homme qui déplace des foules risque de leur faire perdre leur autorité auprès du peuple. Mais Jésus ne se gêne pas pour les critiquer. Aussi, les scribes et les Pharisiens essaient-ils continuellement de prendre Jésus en faute.

Une femme pécheresse

Malgré l'hostilité des Pharisiens à son égard, Jésus a quand même accepté de dîner chez l'un d'entre eux. Pendant le dîner, une femme s'approche de Jésus. Comme c'est la coutume dans ce pays, elle verse du parfum sur ses pieds et les essuie avec ses cheveux. Les Pharisiens chuchotent entre eux :

— S'il était prophète, il saurait quelle sorte de femme le touche : c'est une pécheresse...

Jésus s'adresse à son hôte :

— Simon, j'ai quelque chose à te dire. Un homme riche avait prêté de l'argent à deux personnes, à l'une 500 deniers, et à l'autre 50 deniers. Comme ces deux débiteurs étaient pauvres, le prêteur décide un jour d'annuler leurs dettes. Lequel des deux l'aimera le plus ?

— Celui qui lui devait le plus, j'imagine...

— Alors, comprends cette femme et comprends-moi. Quand je suis entré chez ... n'as pas versé l'eau sur mes pieds : elle les a lavés de ses larmes et de son ...n, elle les a essuyés avec ses cheveux, elle a beaucoup donné d'elle-même.

...t Jésus dit à la femme :

— Va en paix, tes péchés te sont remis. Ta foi t'a sauvée.

La brebis égarée

Au temps de Jésus, on élevait beaucoup de moutons dans la région où se trouvait la Palestine. Le berger menant son troupeau, c'était une image familière pour l'entourage de Jésus. Aussi, Jésus a-t-il profité du moment où, avec ses disciples, il a croisé un berger avec son troupeau pour en tirer une leçon que tous pouvaient facilement comprendre.

— Voyez mes amis, comme ce berger, ce pasteur sait prendre soin de son troupeau. Je suis le bon pasteur. Le bon pasteur connaît ses brebis, et ses brebis le connaissent... Le bon pasteur est prêt à donner sa vie pour ses moutons...

Lequel d'entre vous, s'il a cent brebis et vient à en perdre une, n'abandonne les quatre-vingt-dix-neuf autres pour aller chercher celle qui est perdue ? Et quand la brebis est retrouvée, le berger la met sur son épaule, et revient chez lui pour faire la fête.

Et moi, je vous dis qu'il y a plus de joie au ciel pour un seul pécheur qui regrette ses fautes, que pour les quatre-vingt-dix-neuf justes qui sont restés vertueux. Celui qui s'égare a besoin de plus d'amour... J'ai encore d'autres moutons qui ne sont pas sous ma garde. J'ai l'intention d'aller les chercher et de les rassembler autour de moi. Un jour, il n'y aura qu'un seul troupeau et qu'un seul pasteur.

La multiplication des pains

Ils étaient nombreux ce jour-là autour de Jésus : on dit qu'ils étaient 5,000 hommes sans compter les femmes et les enfants. Ils n'avaient pas prévu que Jésus parlerait si longtemps ; ils n'ont rien apporté à manger. Le soir tombe : les gens commencent à avoir faim. Les apôtres chargés du ravitaillement sont bien embarrassés, car on est trop loin de la ville pour aller aux provisions. Va-t-on renvoyer chez elle cette foule en la laissant sur sa faim ? Certains viennent de villes et de villages éloignés... Que faire ?

— On ne peut pas les renvoyer ainsi, dit Jésus, donnez-leur à manger.

— Mais, nous ne pouvons pas nourrir une si grande foule, disent ses amis ; tout ce que nous avons, c'est cinq pains et deux poissons...

— Apportez-les ici. Bénis soient ce pain et le blé d'où il provient. Bénis soient ces poissons, créés pour la nourriture de l'homme...

Jésus rompit le pain et le donna, avec les poissons, aux disciples pour qu'ils les distribuent à la foule. Jésus avait multiplié les pains et les poissons. Tous mangèrent abondamment, jusqu'à ce qu'ils n'aient plus faim. Quand les disciples recueillirent les restes, ils en ramassèrent douze corbeilles pleines.

Après ce miracle, les disciples ont compris que Jésus était préoccupé de leur donner la vie en abondance.

Le sermon sur la montagne

— Mes amis, aujourd'hui, j'ai des choses très importantes à vous dire. Ouvrez bien vos oreilles, écoutez-moi : soyez heureux, vous qui êtes pauvres dans votre cœur, vous qui n'êtes pas attachés à vos biens, vous qui n'enviez pas les richesses des autres. Je vous promets la plus grande des richesses, je vous promets le Royaume de Dieu... Soyez heureux, vous qui êtes doux et humbles, sans colère, sans méchanceté dans votre cœur ; vous aurez la terre en héritage.

Soyez heureux, vous qui pleurez aujourd'hui, car je vous promets que vous serez merveilleusement consolés. Soyez heureux, vous qui aimez la justice et qui la désirez : vous aurez ce que vous souhaitez. Soyez heureux vous qui savez pardonner, car vous serez pardonnés à votre tour... Soyez heureux vous qui avez un cœur simple et droit : vous saurez voir la pureté de Dieu. Soyez heureux, vous qui travaillez à installer la paix, vous êtes les enfants de Dieu et vous faites son ouvrage. Soyez heureux même si les méchants vous font des misères, soyez heureux, car vous êtes mes amis.

Jésus marche sur les eaux

Durant son séjour en Galilée, au début de sa vie publique, Jésus de Nazareth menait une vie bien fatigante. Au soir de la multiplication des pains, les gens ont bien mangé, mais ils s'attardent sur les lieux du prodige. Les apôtres voudraient bien se reposer car eux aussi, ils ont eu une journée bien remplie. Ils décident de monter dans leur barque, et d'aller sur le lac. Ils invitent Jésus à venir avec eux, mais Jésus décide de rester encore un peu avec les gens qui l'ont suivi.

Alors que les amis de Jésus sont dans leur barque, au milieu du lac, ils voient une silhouette qui s'avance sur l'eau. Ils ont très peur : ils croient que c'est un fantôme. Mais ils entendent la voix du maître :

— N'ayez pas peur ! Rassurez-vous ! C'est moi, Jésus...

Alors, Pierre s'écrie :

— Si c'est vraiment toi, permets que j'aille te rejoindre en marchant sur l'eau comme toi !

— Viens !

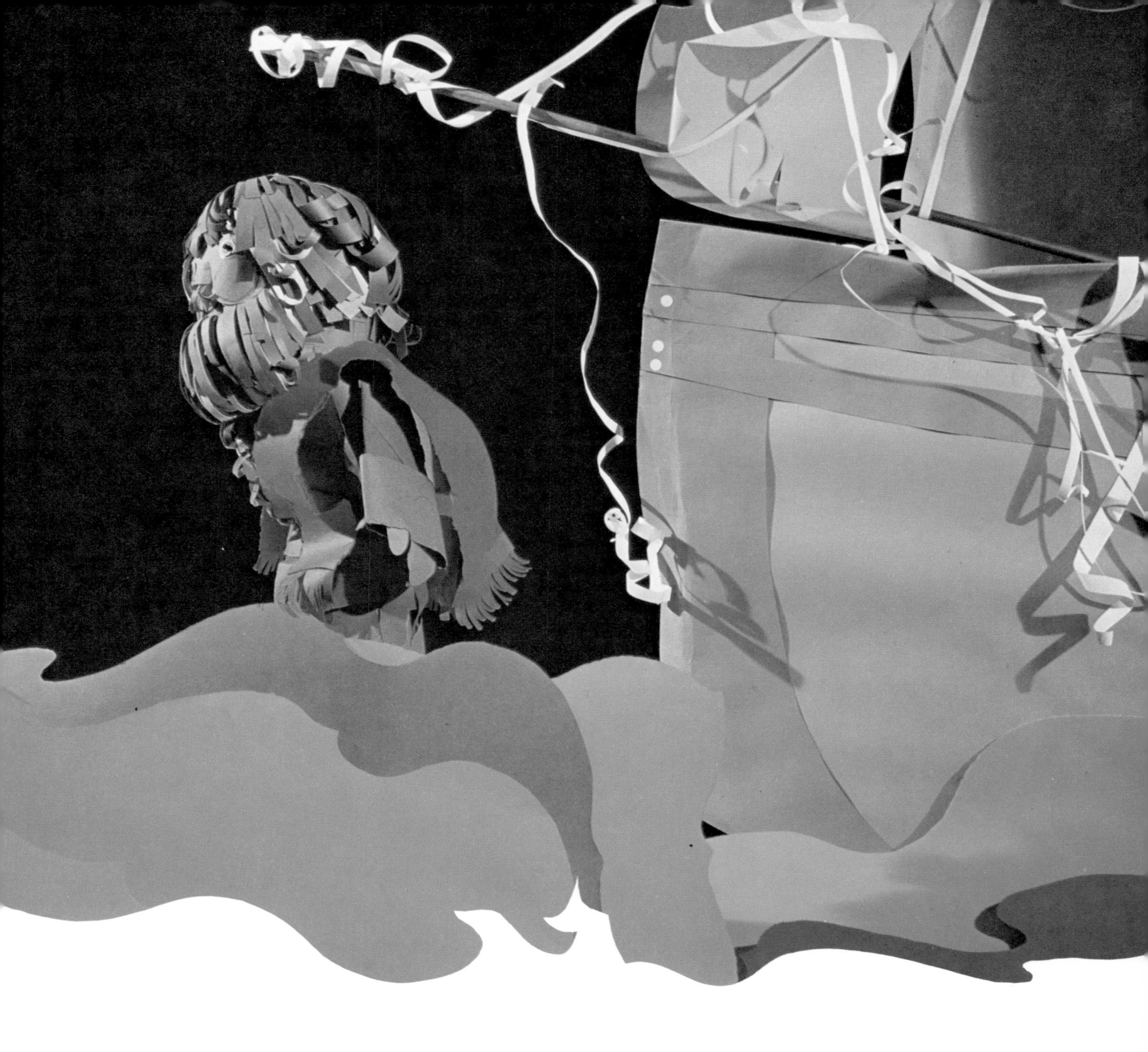

Pierre se met à marcher sur les eaux comme Jésus. Mais tout à coup, il perd confiance. Aussitôt, il se met à s'enfoncer. Jésus lui tend la main et lui dit :

— Homme de peu de foi ! Pourquoi as-tu douté ? Pourquoi n'as-tu pas cru en moi jusqu'au bout ? Te faire marcher sur l'eau, ce n'est pas plus difficile pour moi que de multiplier les pains, de guérir les malades et de pardonner les péchés...

Et Jésus rejoint ses amis dans la barque.

La Transfiguration

La Galilée était une province « faite de cent collines ». Il arrivait souvent à Jésus de grimper sur l'une ou l'autre de ces collines pour prier et réfléchir. Ce jour-là, contrairement à ses habitudes, Jésus demande à Pierre, Jacques et Jean de l'accompagner sur la montagne.

— Allons prier.

Arrivés là-haut, Jésus s'éloigne un peu. Il se produit alors un phénomène étrange. Sous les yeux des trois apôtres ébahis, Jésus est transfiguré : sa figure devient comme lumineuse, brillante comme le soleil, ses vêtements plus blancs que la neige. À côté de lui, apparaissent deux anciens prophètes, Moïse et Élie, avec lesquels Jésus semble s'entretenir. Pierre, Jacques et Jean sont remplis de crainte et d'admiration. Ils voudraient que ce moment privilégié dure toujours. Pierre s'écrie :

— Maître, on est bien ici, avec toi et les prophètes. Si tu veux, je peux installer trois tentes, une pour toi, une pour Moïse, une pour Élie...

À ce moment, on entend une voix qui vient du ciel :

— Voici mon fils, celui que j'aime de tout mon cœur, écoutez-le, faites ce qu'il vous dit.

La Samaritaine

Du temps de Jésus, la Palestine comprenait trois régions : la Galilée au nord, la Samarie au milieu, et la Judée au sud. Jésus voyageait souvent entre la Judée et la Galilée. Pour se rendre du sud au nord, il devait passer par la Samarie. Les Juifs de Judée et de Galilée n'aimaient pas du tout les habitants de la Samarie, les Samaritains. Chaque fois qu'ils allaient de Judée en Galilée, ou vice versa, la règle de conduite alors était de ne pas adresser la parole aux Samaritains, de ne pas même s'en approcher. Comment Jésus va-t-il agir envers les Samaritains ?

Un jour, Jésus s'est arrêté en traversant la Samarie, près d'un puits appelé le puits de Jacob. Pendant qu'il se repose, arrive une Samaritaine. Jésus lui dit :

— Donne-moi à boire.

— Comment ! Tu es juif et tu me demandes à boire à moi, une Samaritaine ?

— Si tu savais le cadeau que Dieu te fait en ce moment... Si tu savais qui je suis, moi qui te demande à boire... Si tu le savais, c'est toi qui me demanderais à boire et je te donnerais une eau merveilleuse...

— Seigneur, comment ferais-tu ? Tu n'as rien pour puiser et le puits est profond. Serais-tu plus grand que notre ancêtre Jacob qui nous a donné ce puits ?

— Tu vois, tous ceux qui viennent boire cette eau ont encore soif quelque temps après. Tandis que ceux qui boiront de mon eau merveilleuse n'auront plus jamais soif.

— Seigneur donne-moi de cette eau pour que je n'aie plus soif et que je n'aie plus la peine de venir puiser l'eau.

— Va à la ville chercher ton mari et reviens avec lui.

— Je n'ai pas de mari...

— Tu as raison de dire que tu n'as pas de mari, car tu en as eu cinq, et l'homme avec qui tu vis présentement n'est pas ton mari...

— Seigneur, je vois que tu es prophète puisque, sans me connaître, tu sais tout ce que j'ai fait. Dis-moi comment agir, dis-moi où il faut aller prier.

— Ce n'est ni sur la montagne, ni à Jérusalem qu'il faut prier, mais dans son cœur, en esprit et en vérité.

— Je sais que le Messie doit venir pour nous guider...

— Le Messie, le Christ, c'est moi qui te parle...

Non seulement Jésus ne méprise pas les Samaritains, mais il parle avec bonté à la Samaritaine. En rentrant chez elle, la Samaritaine raconta aux gens de son village comment Jésus avait vu clair en elle ; les Samaritains invitèrent Jésus à demeurer chez eux quelques jours.

Jésus et les enfants

Des enfants se trouvaient souvent mêlés aux adultes qui entouraient Jésus. Puisque Jésus était de plus en plus réputé pour sa bonté en même temps que pour les prodiges qu'il accomplissait, bien des mères juives essayaient de lui présenter leurs enfants dans l'espoir que le contact avec Jésus leur apporterait quelque don extraordinaire. Quelquefois, les amis de Jésus essayaient d'éloigner les enfants, croyant qu'ils importunaient leur maître ; mais Jésus leur disait :

— Laissez venir à moi les petits enfants. Ils ne me dérangent pas, au contraire... Car le Royaume des Cieux dont je vous parle souvent, il est fait pour eux et ceux qui leur ressemblent... Tout ce que vous ferez à ces petits en mon nom, c'est à moi que vous le ferez.

Le Notre Père

Un jour, les amis de Jésus lui ont demandé :

— Seigneur, comment faut-il parler à Dieu ? Enseignez-nous à prier.

Jésus leur répondit :

— Quand vous voudrez prier, n'imitez pas les hypocrites, ceux qui aiment se faire voir quand ils prient. Quand vous voudrez prier, retirez-vous chez vous, fermez votre porte, et parlez à Dieu comme on parle à un père... Il vous comprendra. Voici comment il faut prier :

Notre père qui es aux cieux,
que ton nom soit sanctifié,
que ton règne vienne,
que ta volonté soit faite
sur la terre comme au ciel.

Donne-nous aujourd'hui
notre pain de ce jour.
Pardonne-nous nos offenses
comme nous pardonnons aussi
à ceux qui nous ont offensés.

Et ne nous soumets pas à la tentation,
mais délivre-nous du Mal.

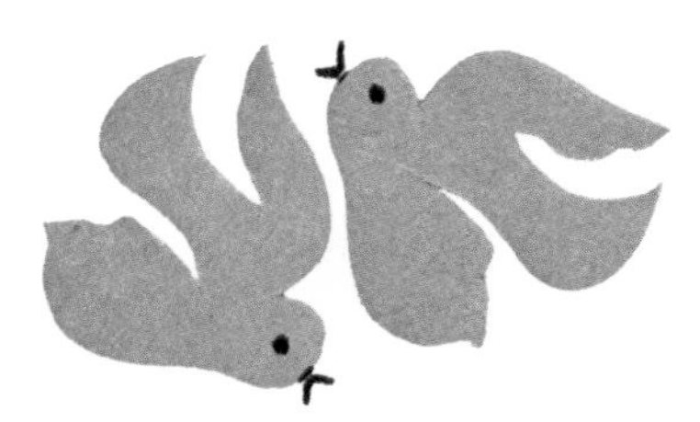

L'ami importun

Un jour, Jésus rassure ses amis qui s'inquiètent de l'avenir :

— Mes amis, ne vous faites pas trop de soucis : voyez les oiseaux dans le ciel, ils n'amassent pas de grain dans les greniers, et pourtant, notre Père des cieux leur donne à manger. Voyez aussi les lis des champs : ils ne tissent pas d'étoffes, et cependant, ils sont mieux habillés qu'un roi. Mes amis, Dieu ne vous abandonnera pas. Occupez-vous d'abord de ses affaires... Écoutez bien : je vais vous raconter une histoire.

Imagine qu'un jour, toi, Philippe, tu reçoives la visite d'un ami qui arrive d'un voyage en plein milieu de la nuit... L'ami te dit :

— J'ai fait un voyage terrible. Je me suis fait voler mon âne là-bas dans les montagnes. J'ai dû venir à pied. Je suis à bout de forces. Tu n'aurais pas un morceau à manger ? Je meurs de faim...

— Ça tombe mal, il ne reste plus une croûte dans la maison... Mais ça ne fait rien ; reste ici, je vais aller demander aux voisins. Hé ! Voisin ! Peux-tu me prêter trois pains ?

— Laisse-moi tranquille ! Il est tard, c'est l'heure de dormir ! dit le voisin.

— Je t'en prie, voisin. Un de mes amis est arrivé de voyage et je n'ai rien à lui offrir... Écoute, tu ne peux me refuser un service ! Je te le rendrai à l'occasion.

Là-dessus, le voisin répond :

— Ah ! C'est bon ! Je vais te les donner, tes pains, mais c'est bien pour me débarrasser de toi.

Avez-vous compris cette histoire ? demanda Jésus ; demandez et l'on vous donnera ; frappez et l'on vous ouvrira.

Zachée

Un jour, Jésus traversait la ville de Jéricho ; un nommé Zachée cherchait par tous les moyens à le rencontrer. Comme il était petit de taille, il grimpa à un arbre afin d'apercevoir Jésus malgré la foule.

Arrivé à cet endroit, Jésus leva les yeux, et dit :

— Zachée, vite, descends, car j'ai décidé d'aller loger chez toi.

Tout joyeux, Zachée descendit de son arbre et courut chez lui pour préparer la venue de son invité. Zachée était un percepteur d'impôts : ces gens étaient mal vus des autres Juifs car ils avaient la réputation de collaborer avec les Romains et d'être malhonnêtes. Voyant Jésus chez Zachée, les gens disaient :

— Il fréquente un pécheur !

Zachée s'écria alors :

— Seigneur, je veux donner la moitié de mes biens aux pauvres ; si j'ai fait du tort à quelqu'un, je lui rendrai le quadruple !

Là-dessus, Jésus dit à la foule :

— Aujourd'hui, cette maison a reçu le salut. Je suis venu pour chercher ce qui était perdu.

Jésus et la richesse

Du temps de Jésus comme de nos jours, les riches sont des gens qu'on envie, alors que pour Jésus, la richesse semble être un fardeau. Jésus a souvent parlé des méfaits de la richesse.

— N'amassez pas de trésors sur la terre où il peut leur arriver toutes sortes d'accidents ; les vêtements peuvent être endommagés par les mites ; les provisions peuvent se gâcher... Rien ne dure ici-bas. Il vaut mieux amasser un trésor dans le ciel, là où personne ne peut le détruire.

Un jour, Jésus raconta cette histoire :

Il y avait une fois un homme très riche. Il vivait dans une magnifique maison ; il était vêtu des tissus les plus fins, aux couleurs les plus à la mode ; chaque jour, ses serviteurs lui servaient des repas tellement abondants qu'il n'arrivait pas à goûter tous les plats. Un jour qu'il s'était installé sur sa terrasse pour manger en plein air, arrive un pauvre nommé Lazare. Ce pauvre homme en guenilles était affamé : il n'avait pas mangé de la journée. Lazare dit à l'homme riche :

— Je t'en prie, donne-moi quelque chose à manger.

— Ah ! Encore un mendiant ! On ne peut même plus manger en paix ! Serviteurs, chassez-moi cet importun !

— Je t'en prie Seigneur, ta table est remplie de bonnes choses. J'ai faim... Donne-moi... Donne-moi seulement les miettes qui tombent de ta table...

— Allez, serviteurs, débarrassez-moi de ce sale individu ! Il me coupe l'appétit.

Voulez-vous savoir ce qui est advenu du pauvre Lazare et du mauvais riche ? Le pauvre Lazare mourut. Un peu plus tard, le mauvais riche mourut lui aussi. Lazare s'est retrouvé au ciel avec les grands prophètes tandis que le mauvais riche s'est retrouvé dans un lieu où il était privé d'amour. Le mauvais riche souffrait et appelait Lazare à son secours. Mais Lazare ne pouvait plus rien pour lui. Ceux qui sur la terre n'ont pas eu pitié des autres seront seuls pour toujours après leur mort.

L'enfant prodigue

Un jour, Jésus raconte cette histoire :

— Un père avait deux fils... Cet homme possédait une ferme et quelques troupeaux qu'il se proposait de laisser à ses fils en héritage. Un jour, le plus jeune vient trouver son père et lui demande la part de la fortune familiale qui lui revient en héritage.

Le père pense que son fils est encore trop jeune pour quitter la maison, mais il lui donne quand même sa part d'héritage. Aussitôt, le fils quitte la maison paternelle. Le jeune homme, arrivé dans un pays lointain, y rencontre des jeunes gens de son âge avec qui il fait tous les jours la fête, dépensant son bien sans compter. Mais vint un jour où, ayant tout dépensé, le fils prodigue n'a plus un sou en poche. Alors, tous ses beaux amis l'abandonnent. Finis les festins et les fêtes. Le jeune homme est obligé de vendre tout ce qu'il possède pour survivre. Mourant de faim, il accepte un emploi humiliant : il devient gardien de porcs. Un jour, il se dit :

— Combien d'ouvriers de mon père ont du pain tant qu'ils en veulent pendant que moi, son fils, je meurs de faim ici. Je sais ce que je dois faire. Je vais retourner chez nous et je demanderai à mon père de me prendre à son service, comme un de ses ouvriers.

Le fils prodigue s'en retourne donc vers son père qu'il regrette d'avoir abandonné. Il était encore loin sur la route quand son père l'aperçut. Voyant son fils si mal vêtu, le père en a pitié. Ce n'est pas le fils coupable qui va vers son père, mais bien le père qui court vers son fils.

— Pauvre petit, dans quel état es-tu ! Serviteurs, vite venez ! Apportez de beaux habits pour mon fils. Apportez aussi des chaussures. Qu'on tue le veau gras ! Qu'on fasse une grande fête ! Je suis si heureux ! Je croyais avoir perdu mon enfant et je l'ai retrouvé !

Voilà ce que c'est qu'un père : tout ce qui l'intéresse, c'est de retrouver son enfant perdu et de le rendre heureux. Mais le fils aîné qui revient de travailler aux champs est fâché parce qu'on fête ainsi son frère. Alors son père lui dit :

— Écoute, mon fils : toi, tu es demeuré avec moi et nous avons partagé les peines, bien sûr, mais nous avons partagé aussi les petits bonheurs quotidiens. C'est tous les jours fête pour ceux qui s'aiment et qui sont ensemble. Mais ton frère, que je croyais mort, perdu pour moi, me revient.

Jésus explique aux apôtres que c'est comme ça que Dieu nous aime, comme un père toujours prêt à aller au-devant de ses enfants même s'ils ont eu des torts.

Le bon Samaritain

Parmi la foule qui entoure Jésus, il y a presque toujours des scribes, des Pharisiens ou des docteurs de la loi. Ces représentants officiels de la religion juive sont très ennuyés par la popularité de Jésus. Eux qui prétendent connaître la loi de Dieu mieux que personne, ils n'aiment pas beaucoup qu'un simple charpentier se mette à prêcher au peuple. Aussi, essaient-ils constamment de le prendre en faute. Ce jour-là, un scribe cherche querelle à Jésus.

— Maître, qu'est-ce que je dois faire pour avoir la vie éternelle ?

— Tu es docteur de la loi, tu dois donc la connaître, cette loi. Qu'est-ce qu'on dit dans les Écritures ?

— La loi dit : « Tu aimeras le Seigneur ton Dieu de tout ton cœur, de toute ton âme et de toutes tes forces. »

— Et ensuite ?

— « Et tu aimeras ton prochain comme toi-même. »

— C'est bien cela. Tu n'as qu'à suivre ce commandement et tu auras la vie éternelle.

— Mais dis-moi, qui est mon prochain ?

— Écoute bien : je vais te raconter une histoire... Un jour, un homme s'en allait tout seul sur la route entre Jérusalem et Jéricho. La distance entre ces deux villes n'est pas très grande, mais vous savez tous que c'est une route très dangereuse ; souvent des voleurs se cachent dans les taillis, prêts à attaquer les voyageurs sans défense. C'est justement ce qui est arrivé à notre promeneur solitaire. Deux brigands se jettent sur lui, le battent à coups de bâtons et se sauvent avec son bagage. Voilà notre homme blessé, à moitié inconscient, abandonné sur le bord du chemin... Voici que sur le même chemin s'avance un prêtre, un ministre de la religion, quelqu'un qui devrait donner l'exemple. Qu'est-ce qu'il fait ? Aussitôt qu'il aperçoit le blessé, il passe de l'autre côté de la route en détournant la tête. Il se dit : « Cette région n'est pas sûre, il n'y a pas de risque à prendre... » Arrive ensuite un lévite, un employé du temple, lui aussi est au service de la religion. Il hâte le pas lorsqu'il aperçoit le blessé. Il a peur, il se sauve.

Vous savez tous que les Samaritains sont détestés par les Juifs : ils passent pour des traîtres et même pour des païens. Alors, arrive sur la route un Samaritain. Le Samaritain aperçoit le malheureux voyageur qui gémit, couvert de blessures. À cette vue, son cœur est bouleversé. Il descend de sa monture sans se demander si les voleurs ne sont pas encore à l'affût. De son sac, il tire de l'huile et du vin. Il panse les blessures du malheureux et le fait monter sur son âne. Le bon Samaritain conduit le blessé à une auberge. Il le confie à l'aubergiste.

Voilà la fin de mon histoire. Dites-moi, monsieur le scribe, dans cette histoire, qui est celui qui aime son prochain ?

— Hum ! Je crois bien que c'est celui qui a eu pitié du malheureux.

— Va, et fais comme lui.

L'humble et l'orgueilleux

Un jour, Jésus raconte cette histoire :

— Un Pharisien et un publicain se présentent au temple pour prier. Le Pharisien, superbe et orgueilleux, s'avance lentement, faisant tout pour qu'on le voie passer. Il prie en se faisant remarquer.

« Mon Dieu, je te remercie de m'avoir fait différent des autres hommes. Je suis un Pharisien : c'est tout dire ; je suis bon. Les autres sont voleurs, injustes, méchants... Par exemple, ce publicain qui est derrière moi, il n'ose s'avancer parce que c'est un pécheur. Mais, moi, je jeûne deux fois la semaine, je donne beaucoup d'argent au temple, je fais tout ce que dit la loi. Mon Dieu, tu dois sûrement aimer les hommes comme moi, ceux qui sont meilleurs que les autres... »

— Voilà comment priait le Pharisien. Derrière lui, un publicain s'est avancé discrètement, en longeant les murs... Il ne veut surtout pas être remarqué. Il prie tout bas en baissant la tête et en se frappant la poitrine :

« Mon Dieu, je suis un publicain, donc un pécheur... Je ne suis pas comme ce Pharisien qui peut se vanter de ses bonnes actions. Mais, Seigneur, je t'aime, tout pécheur que je suis. Je t'en prie, aie pitié de moi... »

— Alors, selon vous, lequel, du Pharisien ou du publicain, a réussi à plaire à Dieu ?

— C'est le Pharisien, bien sûr.

— Vous vous trompez, mes amis. Celui qui plaît à Dieu, c'est le publicain. Celui qui s'élève sera abaissé, mais celui qui s'abaisse sera élevé...

Guérison d'un aveugle

Jésus venait de prêcher aux abords du temple de Jérusalem. Il s'en retournait vers les portes de la ville en compagnie de quelques disciples, lorsqu'ils aperçurent un aveugle en train de mendier près de l'entrée du temple.

— Dis-moi, Seigneur, qui a péché, est-ce lui ou ses parents, pour qu'il soit né aveugle ? demande un des disciples.

— Vous n'y êtes pas du tout, mes amis ; cet homme n'est pas coupable, non plus que ses parents ; mais son infirmité va me donner l'occasion de vous prouver la puissance de Dieu...

Jésus, se conformant à une croyance populaire, voulant que la salive ait le pouvoir de guérir, forme un peu de boue avec de la salive et de la terre et applique cette pâte sur les yeux de l'aveugle.

— Et maintenant, va te laver à la piscine de Siloé, dit-il à l'aveugle.

L'infirme fit ce que Jésus lui avait commandé, et il fut guéri. Devant ce miracle, les badauds décident d'amener l'ex-aveugle aux Pharisiens qui se mettent à le questionner.

— Allons, mon ami, il paraît que tu étais aveugle et que maintenant, tu vois clair. Raconte-moi ce qui t'est arrivé.

— C'est Jésus de Nazareth. Il m'a mis de la boue sur les yeux, je suis allé me laver à la piscine de Siloé, et maintenant je vois clair...

— Et quand cela s'est-il passé ?

— C'était hier, monsieur, hier après-midi...

— Hier ? Mais c'était le jour du sabbat ! On n'a pas le droit de travailler le jour du sabbat ! Ce Jésus de Nazareth est un pécheur !

— Vous pouvez bien dire que c'est un pécheur, mais, moi qu'il a guéri, je dirais plutôt que c'est un prophète... Moi, je ne suis pas savant comme vous, mais je pense que seul Dieu peut faire des miracles. Et si Jésus de Nazareth m'a ouvert les yeux, c'est parce qu'il parle au nom de Dieu...

— Espèce d'impertinent. Espèce de malappris ! Tu n'es qu'un ignorant, qu'un pécheur, et tu viens nous faire la leçon ! Sors d'ici avant qu'on te chasse à coups de bâtons !

Les Pharisiens ne peuvent rien devant le gros bon sens de l'ex-aveugle. Celui-ci n'est pas un savant, mais le miracle dont il a été l'objet en a fait un partisan convaincu de Jésus de Nazareth.

Le Royaume de Dieu

Tout au long de ses rencontres avec les foules de Palestine, Jésus faisait souvent allusion au Royaume de Dieu. Jésus essaie d'expliquer à ses disciples et à la foule ce qu'il veut dire quand il parle du Royaume de Dieu ou du Royaume des cieux. Pour se faire comprendre, il emploie des comparaisons tirées de la vie quotidienne des gens de son temps :

— « Le Royaume des cieux est semblable à un tout petit grain de sénevé, une petite graine de moutarde qu'un homme plante dans son champ. C'est la plus petite de toutes les semences, mais quand elle a poussé, elle devient un arbre, et les oiseaux du ciel viennent s'abriter dans ses branches. »

— Mes amis, le Royaume de Dieu est d'abord dans votre cœur. Si vous lui faites une toute petite place, il finira par grandir et prendre toute la place. Le Royaume de Dieu est aussi comme le levain qu'une femme mêle à la farine pour faire du pain. Le levain, ça n'a l'air de rien, mais au bout de quelque temps, voilà que la pâte a levé, elle a doublé de volume. Le Royaume de Dieu, c'est donc comme le levain qui se mêle à votre vie et la transforme.

Si les disciples commencent à comprendre ce que Jésus veut dire quand il parle du Royaume, la plupart des gens qui les entourent n'arrivent pas à saisir le sens de ces paraboles. Par exemple, il y a la mère des deux apôtres, Jacques et Jean. Elle a beaucoup d'ambition pour ses fils et elle a des idées bien arrêtées sur ce fameux Royaume dont parle Jésus.

Elle s'approche de Jésus et lui dit :

— Jésus, Jésus de Nazareth. Je sais que tu aimes bien mes fils, Jacques et Jean. Ils t'ont suivi depuis le début de tes voyages : ce sont tes plus fidèles amis. Quand tu seras dans ton Royaume, j'aimerais que tu leur accordes des postes importants : qu'ils soient l'un à ta gauche, et l'autre à ta droite. Et moi, leur mère, je saurai alors qu'ils ont bien réussi dans la vie...

— Tu ne sais pas ce que tu demandes, répond Jésus. Tu t'imagines que le Royaume de Dieu, c'est un État terrestre... Et vous, Jacques et Jean, vous ne savez pas ce qui vous attend ; êtes-vous prêts à me suivre jusqu'au bout ?

— Oh ! Oui ! Seigneur ! Nous resterons avec toi... Nous te suivrons partout.

— Très bien. Mais je vous avertis, ce sera difficile. Quant à savoir qui sera à ma droite et qui sera à ma gauche, c'est à mon Père du ciel d'en décider...

Le semeur

En parcourant les routes de son pays, Jésus passait devant des fermes. Dans ses contacts avec les bons paysans occupés aux travaux agricoles, Jésus trouvait l'inspiration pour les histoires ou paraboles qu'il racontait à ses disciples.

— Mes amis, écoutez l'histoire du semeur.

Un semeur était sorti pour semer.

Il n'était pas regardant :
il semait le grain à pleines poignées.

Une partie des grains est tombée sur la route : d'abord les voyageurs ont marché dessus.

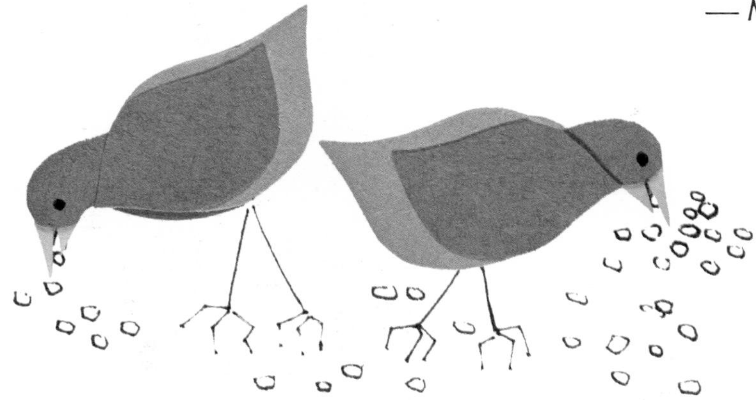

Ensuite, les oiseaux ont mangé ce qui en restait.

Une autre partie des grains est tombée sur un sol pierreux

ils ont poussé mais se sont vite desséchés car ils manquaient d'humidité.

D'autres grains sont tombés dans les ronces

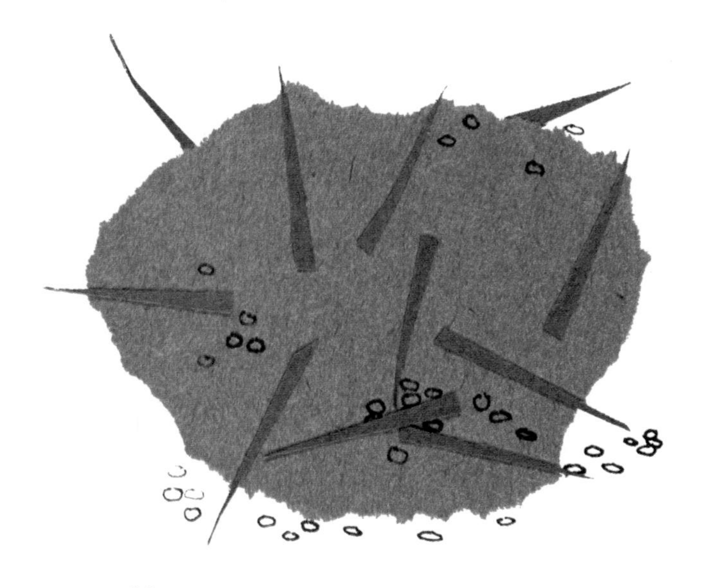

et les épines les ont étouffés.

Enfin, la plus grande partie des grains est tombée dans la bonne terre. Ils ont bien poussé, et, au temps de la récolte, ils ont donné beaucoup de grains. Un disciple lui demanda :

— Maître, tu racontes de belles histoires, mais nous ne comprenons pas toujours ce que tu veux nous dire. Je t'en prie, explique-nous l'histoire du semeur.

— La semence, le bon grain, c'est la parole de Dieu... Le grain qui tombe sur la route, c'est la parole de Dieu qui tombe sur un cœur trop renfermé sur lui-même ; l'esprit mauvais emporte la bonne parole. Le grain qui tombe parmi les pierres, c'est quand on entend la parole de Dieu, mais dès que des difficultés surviennent on l'oublie. Le grain qui tombe dans les épines, fait penser à un homme qui entend la parole de Dieu mais ses préoccupations et ses soucis étouffent la semence de la bonne parole. La bonne terre, ce sont ceux qui ont le cœur bon et généreux. La parole de Dieu peut grandir et profiter chez ceux qui l'écoutent, la comprennent et la conservent dans leur cœur.

Le bon grain et l'ivraie

Jésus raconte cette autre histoire tirée de la vie agricole de son temps : le bon grain et l'ivraie. L'ivraie est une mauvaise herbe qui nuit à la croissance du blé. Il est difficile de l'enlever des champs cultivés, car cette plante est mêlée aux pousses de blé. Jésus raconte donc :

— Un fermier avait semé du blé dans son champ. Tandis qu'il dormait, son ennemi est venu et il a semé de l'ivraie parmi le bon grain. Son serviteur lui dit :

— Maître, viens voir ton champ ! Le blé a poussé, mais il y a plein de mauvaises herbes parmi les tiges de bon blé.

Le maître répond :

— C'est mon ennemi qui a fait ça.

— Si tu veux, j'irai arracher la mauvaise herbe.

— Il vaut mieux la laisser pousser, car si on l'arrache maintenant, on risque d'arracher le blé.

— Qu'est-ce qu'on va faire alors ?

— Nous allons les laisser croître ensemble jusqu'au temps de la moisson. Alors, je dirai aux moissonneurs : Ramassez l'ivraie, liez-la en bottes, pour la jeter au feu. Ramassez aussi le blé et gardez-le dans mon grenier.

Comprenez-vous le sens de cette histoire ? Le semeur, c'est moi. Le champ, c'est le monde de tous les temps, de tous les pays. Le bon grain, ce sont les fidèles, ceux qui aiment Dieu ; l'ivraie, ce sont ceux qui le refusent et le combattent ; l'ennemi, ce sont les forces du mal.

La résurrection de Lazare

Dans le village de Béthanie, Jésus avait un ami du nom de Lazare. Lazare vivait avec ses deux sœurs Marthe et Marie. Quand Jésus était de passage à Jérusalem, il ne manquait pas d'aller rendre visite à son ami Lazare, car le village de Béthanie était situé tout près de Jérusalem. Nous retrouvons Jésus au sud de la Galilée, aux frontières de la Samarie. Il vient de faire une tournée des villages de Galilée. Tout à coup, arrive un messager.

— Jésus de Nazareth ! Écoute-moi : j'arrive de Béthanie : je t'apporte des nouvelles de ton ami Lazare.

— Ah ! Mon ami Lazare ! Approche-toi, messager. Dis-moi, comment va mon ami ?

— Les nouvelles ne sont pas très bonnes, maître. Lazare est très malade. Les deux sœurs de Lazare aimeraient que vous veniez le visiter : elles disent que vous pouvez le guérir...

— Nous irons en Judée, chez mon ami Lazare. Lazare s'est endormi : je vais aller le réveiller...

Quand Jésus arrive à Béthanie, Lazare est dans sa tombe depuis quatre jours. Marthe, la sœur de Lazare, s'empresse de venir à la rencontre de Jésus.

— Seigneur, si tu avais été là, mon frère ne serait pas mort.

— Ton frère va vivre de nouveau.

Jésus dit aux serviteurs :

— Enlevez cette pierre.

— Seigneur, mon frère est dans sa tombe depuis quatre jours déjà...

— Est-ce que tu n'as pas confiance en moi ? Laisse-moi faire. Celui qui croit en moi, même s'il est mort, il vivra. Allons, poussez cette pierre ! Lazare, viens ici !

Et Lazare, enveloppé de son linceul, se lève et sort de la tombe.

Jésus a pleuré des larmes humaines devant la mort de son ami. Mais, comme Jésus est le maître de la vie et de la mort, il a ramené son ami Lazare à la vie.

Les ennemis de Jésus

Jésus s'approche de la ville de Jérusalem où il a décidé de venir fêter la Pâque juive. Mais ses ennemis se sont concertés pour s'emparer de lui. Ensemble, les Pharisiens et les membres du Sanhédrin ont décidé de le faire mourir. Ils demandent à leurs amis de chercher à savoir où Jésus se tiendra afin de le faire arrêter par leurs soldats. À partir de ce jour, le cercle se referme autour de Jésus ; on le suit, on le surveille, on essaie de le prendre au piège.

Mais Jésus n'entre pas tout de suite dans la ville. Il s'attarde dans le désert, entouré de ceux qui l'aiment. Jésus sait bien ce qui se trame autour de lui.

Malgré les dangers qui le menacent, Jésus se prépare à entrer à Jérusalem. Ses ennemis s'en réjouissent : ils guettent le moment où Jésus sera relativement seul pour l'arrêter, et, croient-ils, le faire taire à jamais.

L'entrée à Jérusalem

Jésus décide enfin d'entrer à Jérusalem. Il dit à ses disciples :

— Mes amis, j'ai un service à vous demander. Allez au village tout près d'ici. À côté de la première maison, vous verrez un petit âne que personne n'a jamais monté. Détachez-le et amenez-le-moi. Si quelqu'un vous pose des questions, vous direz que le Seigneur a besoin de cet âne.

Jésus sait que ses ennemis n'attendent que l'occasion de s'emparer de lui. Il sait bien qu'en entrant dans Jérusalem, il prend de grands risques, mais il sait aussi que des centaines de gens s'attendent à le voir entrer dans la ville ; la plupart de ses admirateurs sont convaincus qu'il est le Messie, un Messie conquérant qui vient les délivrer. Jésus accepte les hommages que le peuple veut lui rendre, car il juge important qu'on le voie triompher avant de le voir humilié. Dès qu'il entre dans la ville, la foule l'acclame :

— Hosanna ! Béni soit le Seigneur ! crie-t-on de toutes parts.

C'est un véritable triomphe ; les manteaux de toutes les couleurs forment un véritable tapis sous les pas de Jésus ; on monte aux arbres, on coupe des branches, on les agite au rythme des acclamations. À mesure que le cortège avance dans la ville, Jésus ne peut s'empêcher d'être triste en songeant que malgré son triomphe, les autorités de Jérusalem sont contre lui.

— Jérusalem ! Que de fois j'ai voulu rassembler tes enfants comme la poule rassemble ses poussins sous ses ailes, mais tu ne l'as pas voulu.

Judas, le traître

Pendant que le cortège parcourt la ville, un Pharisien s'empresse d'aller porter la nouvelle à l'assemblée des prêtres. Les prêtres veulent bien arrêter Jésus, mais ils craignent les réactions de la foule. Ils voudraient arrêter Jésus pendant la nuit, mais ils ne savent pas où le trouver. D'autre part, on a annoncé une récompense en argent pour quiconque aiderait à prendre Jésus au piège.

Parmi les douze apôtres que Jésus avait choisis et qui le suivaient partout, il y avait un nommé Judas, Judas Iscariote. Cet homme aimait l'argent. Il avait toujours suivi Jésus par intérêt, croyant que le Royaume dont il parlait était un royaume matériel et que les amis de Jésus deviendraient riches un jour. Judas Iscariote s'en va trouver les prêtres. Pour quelques pièces d'argent, il consent à trahir Jésus.

La dernière Cène

Jésus et ses apôtres ont préparé le repas traditionnel qui ouvre les cérémonies de la grande fête de Pâque. Tout est installé sur une grande table dans une salle qu'un ami leur a prêtée. Les voilà réunis autour du repas pascal.

Jésus leur dit :

— Mes amis, écoutez-moi. Voici du pain. Je veux le partager avec vous. Prenez et mangez, ceci est mon corps... Voici maintenant du vin. Buvez-en tous, car ceci est mon sang, le sang d'une alliance nouvelle entre Dieu et son peuple, mon sang qui sera répandu pour vous sauver. Ce que je viens de faire, faites-le vous-même en mémoire de moi.

Au cours du repas, Jésus prit une cruche d'eau et un linge et se mit à laver les pieds de ses amis. Lorsqu'il fut rendu à Pierre, celui-ci s'écria :

— Ah ! non ! Seigneur ! Je ne veux pas que tu me laves les pieds ! Tu n'es pas mon esclave.

— Si tu ne me permets pas de te laver les pieds, tu ne pourras plus être mon ami.

— Dans ce cas, tu peux bien me laver de la tête aux pieds si tu veux.

Après avoir accompli ce geste qui était ordinairement réservé aux serviteurs, Jésus dit à ses amis :

— Comprenez-vous ce que je viens de faire ? Vous m'appelez Maître et Seigneur et vous avez raison, car je le suis. Si donc je vous ai servis, moi qui suis votre Maître, vous devez faire comme moi et être au service de tous.

Jésus sait que très bientôt, il sera séparé de ses amis. Il veut leur donner un dernier message.

— Mes amis, bientôt je ne serai plus parmi vous. Vous me chercherez, mais là où je vais, vous ne pouvez me suivre pour le moment... Pour que je demeure présent parmi vous, je vous donne un nouveau commandement : aimez-vous les uns les autres comme je vous ai aimés... Vous, mes amis, on vous reconnaîtra parmi les autres hommes par l'amour que vous aurez les uns pour les autres...

Le jardin de Gethsémani

La ville de Jérusalem était bâtie sur une série de collines entrecoupées de petits cours d'eau. De l'autre côté d'un ruisseau appelé le Cédron, sur une colline appelée le Mont des Oliviers, on avait ménagé une sorte de parc où Jésus aimait aller se promener : c'est le jardin de Gethsémani. C'est là qu'après le repas de fête, Jésus conduit ses apôtres.

— Attendez-moi ici, mes amis, je vais aller prier un peu plus loin. Je me sens triste à en mourir. Veillez et priez avec moi... Mes amis, vous dormez... Vous n'avez même pas pu veiller une heure avec moi... Vous devriez être en train de prier, car nous allons vivre des moments difficiles. Dormez, mes amis. De toute façon, il est trop tard maintenant ; personne ne peut plus rien pour moi... Celui qui doit me trahir est proche...

Les soldats arrivent, conduits par Judas, et Jésus est fait prisonnier.

Jésus devant le Sanhédrin

Au cours de cette même nuit, on amène Jésus devant le Sanhédrin, c'est-à-dire devant l'assemblée des prêtres. Ce sont eux qui ont versé les trente deniers à Judas comme prix de sa trahison ; ils veulent absolument condamner Jésus à mort, mais il leur faut trouver un motif.

— Allons, messieurs, vous avez devant vous Jésus de Nazareth, cet agitateur public. De quoi au juste l'accusez-vous ?

— Cet homme a dit : je peux détruire le temple de Dieu et le rebâtir en trois jours.

— Tu ne réponds rien à cette accusation ? Je t'adjure au nom de Dieu de nous dire si tu es le Christ, le fils de Dieu.

— Tu l'as dit, je le suis.

— Il a blasphémé. Il mérite la mort.

L'assemblée des prêtres veut condamner Jésus à mort, mais comme le peuple juif est sous la domination romaine, seul le gouverneur romain peut rendre une telle sentence.

Jésus devant Pilate

Au matin, on amène donc Jésus devant Pilate, le représentant de l'empereur.

— Es-tu le roi des Juifs ?

— Mon royaume n'est pas de ce monde...

— Alors, tu es donc roi ?

— Je suis roi, je suis venu en ce monde pour apporter la vérité.

— Il me vient une idée : à l'occasion de la Pâque, c'est la coutume de libérer un prisonnier. Je vais donc laisser le peuple choisir entre Jésus que voici, et ce dangereux bandit nommé Barrabas.

Malheureusement, le peuple choisit Barrabas.

— Je ne vois toujours aucune raison de condamner cet homme, dit Pilate. Si vous voulez le faire mourir, faites-le, mais je m'en lave les mains. Que son sang retombe sur vous.

Les prêtres ont obtenu ce qu'ils voulaient : la permission de condamner Jésus à mort.

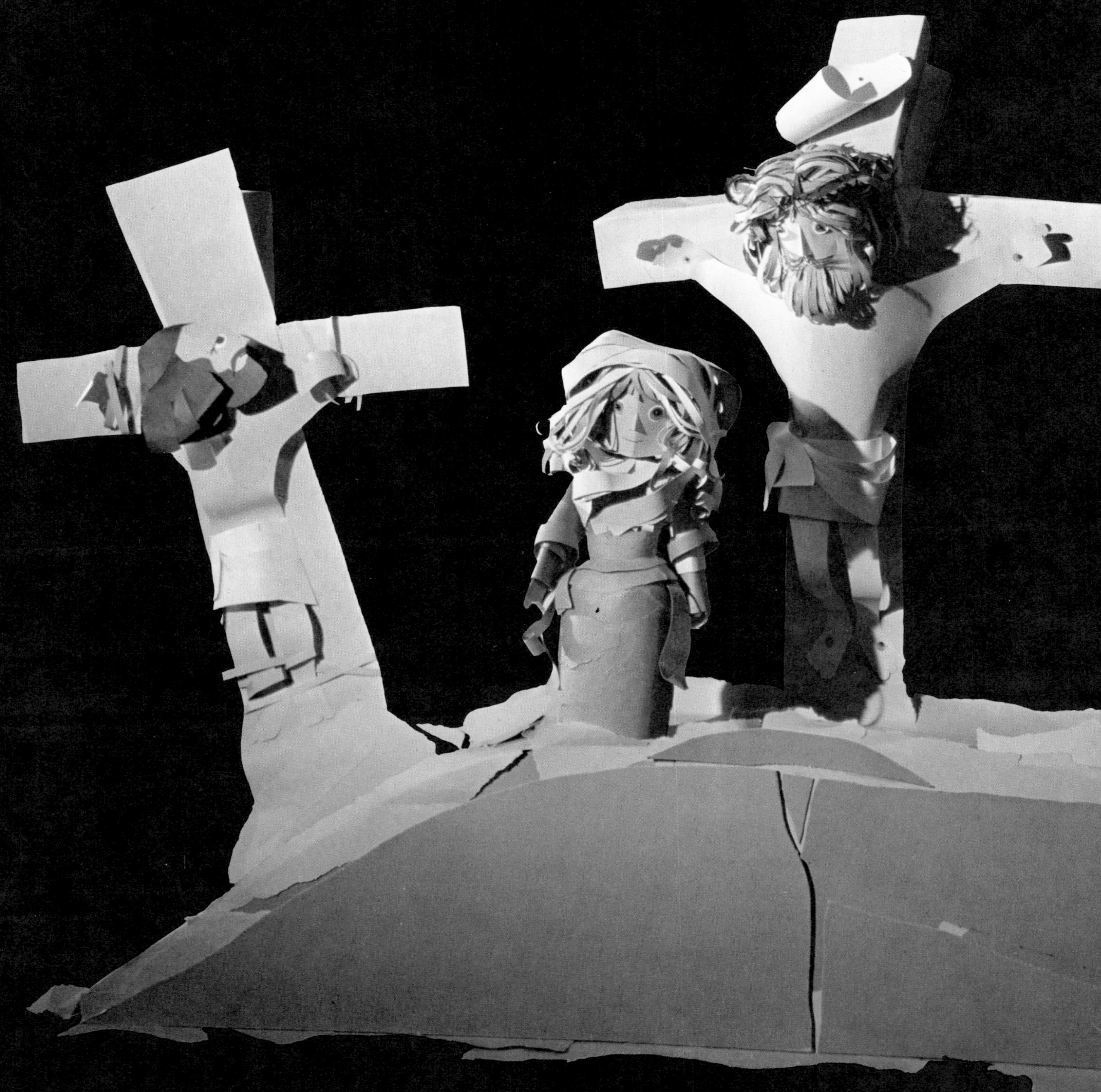

Jésus mis à mort

Dans la Palestine de ce temps-là, les Romains avaient introduit une façon très cruelle de faire mourir un condamné : on le ligotait sur une croix de bois qu'on dressait aux portes de la ville. Voilà l'affreux supplice choisi pour Jésus.

« Cloué sur la croix, Jésus se met à prier. »

— Mon Dieu, pourquoi m'avez-vous abandonné ? s'écrie-t-il.

— Père, pardonnez-leur, car ils ne savent pas ce qu'ils font.

L'heure approche où Jésus devra rendre la vie. Il est trois heures.

— Tout est accompli. Père, je remets mon âme entre vos mains, dit Jésus.

Alors, le ciel s'obscurcit, la terre tremble, le voile du temple se déchire en deux. Le fils de Dieu, en acceptant de prendre la condition humaine, avait accepté de subir la souffrance et la mort.

Le jour de Pâques

Depuis le vendredi précédent à trois heures de l'après-midi, Jésus de Nazareth est mort. Les quelques fidèles qui l'ont suivi jusqu'à la fin l'ont vu expirer sur la croix. Un disciple de Jésus nommé Joseph d'Arimathie est venu réclamer son corps afin de le mettre au tombeau selon les coutumes juives.

Chez les Juifs du temps de Jésus, on plaçait les morts dans un caveau creusé à même une falaise rocheuse. On y étendait le corps arrosé de parfums. On fermait ensuite l'entrée de cette caverne à l'aide d'une grosse pierre très lourde de forme ronde et plate. C'est donc ainsi, selon la coutume du temps, qu'on mit Jésus au tombeau. Il fallait faire vite, car on était un vendredi, veille du sabbat ; tout devait être terminé avant le coucher du soleil si on voulait se conformer à la loi.

Nous voici au dimanche suivant. À l'aube de ce jour, il se fit un grand tremblement de terre et un messager de Dieu vint rouler la pierre qui fermait le tombeau. Pendant ce temps, quelques femmes, amies de Jésus, avaient décidé d'aller porter des parfums dans la tombe. Trois femmes se mettent donc en route dès la première heure, le dimanche matin ; il y a là Marie-Madeleine, Marie, la mère de Jacques et une de leurs amies nommée Salomé. Les voilà en route vers la tombe de Jésus. Mais, dans leur empressement, elles avaient oublié une chose : elles ne pourraient jamais pousser la pierre qui ferme l'entrée du tombeau : elle était bien trop lourde... Cependant, en arrivant au tombeau, elles constatent que la pierre a été poussée.

— Marie ! Salomé ! venez voir ! le corps de Jésus n'est plus là ! Quelqu'un l'a enlevé...

Alors, un messager de Dieu leur dit :

— Ne craignez pas. Vous cherchez Jésus de Nazareth ; il est ressuscité comme il vous l'avait annoncé.

Les femmes s'empressent d'aller retrouver les apôtres. Avec un doute mêlé d'espoir, Pierre et Jean se rendent au tombeau. Ils constatent eux aussi que la tombe est ouverte et que le linceul de Jésus est remisé dans un coin. Ils ne comprennent pas. Ils retournent consulter leurs amis.

Cependant, Marie-Madeleine n'arrive pas à se résigner à la disparition du corps de son grand ami ; elle ne croit pas vraiment à la résurrection ; elle revient seule au tombeau pour essayer d'éclaircir le mystère. Elle pleure. Elle rencontre un homme qu'elle prend pour le jardinier.

— On a enlevé le corps de mon Seigneur ; je ne sais pas où on l'a mis.

— Si c'est toi qui l'as emporté, dis-moi où il est et j'irai le reprendre.

— Marie...

— Maître ! C'est toi ! C'est bien toi !

— Ne me retiens pas, je ne peux pas rester avec toi... Je dois aller avec mon Père, vers notre Père à tous...

— Les amies ! venez, approchez, Jésus est là ! Il est ressuscité comme il l'avait promis !

Marie-Madeleine au tombeau

Les disciples d'Emmaüs

Répétée de bouche à oreille, la nouvelle de la résurrection de Jésus fait son chemin : les disciples ne savent trop que penser... Ainsi, ces deux disciples qui sont partis de Jérusalem pour se rendre à leur village d'Emmaüs. Sur la route, ils échangent leurs impressions sur la mort et la résurrection de Jésus. Tout à coup, un passant s'approche :

— Bonjour, mes amis. Vous permettez que je fasse un bout de chemin avec vous ?

— Bien sûr, à plusieurs, la route paraît moins longue.

— Je crois que j'ai interrompu votre conversation. De quoi parliez-vous donc ?

— Nous parlions de ce qui s'est passé à Jérusalem il y a deux jours... C'est ce qui nous rend tellement malheureux.

— Ah ! Mais que s'est-il passé de si terrible ?

— Tu es bien le seul à ne pas le savoir. Tu n'as pas entendu parler de la mort de ce grand prophète, Jésus de Nazareth ?

— Voyons, tout le monde est au courant : on l'a crucifié sur le Golgotha...

Jésus se met à leur parler longuement des prédictions des prophètes :

— Comme vous êtes durs à comprendre ! Comme il vous faut du temps pour croire à ce que les prophètes avaient annoncé très clairement. Ne comprenez-vous pas qu'il fallait que le Christ souffrît tout ce qu'il a souffert pour parvenir à la gloire ?

Jésus, tout en marchant, parle avec les disciples, mais ceux-ci ne le reconnaissent pas. Jésus leur cite tous les grands prophètes qui ont annoncé la venue du Messie, à commencer par le prophète Moïse. Sa connaissance des Écritures, et la clarté de ses commentaires fascinent les deux disciples. Le chemin leur semble très court. Les voilà déjà rendus chez eux. Malgré les explications de Jésus, malgré ses connaissances de l'Écriture sainte, les disciples ne l'ont toujours pas reconnu. Cependant, ils se sentent le cœur tout réchauffé en sa présence. Sur leur invitation, Jésus accepte de partager leur repas. Jésus s'installe à table avec ses deux amis. Il prend le pain, le bénit, le rompt, et le partage avec les convives.

— C'est le Maître ! Je le reconnais !

— C'est Jésus ! Il est vraiment ressuscité !

— Ah ! Comment avons-nous pu être aussi aveugles ! Pourquoi ne pas l'avoir reconnu tout de suite !

— Il faut aller le raconter aux autres ! Jésus est vivant ! Il est ressuscité !

Malgré qu'il se fasse tard et que la route soit bien longue, les deux amis retournent aussitôt à Jérusalem pour raconter aux apôtres l'aventure extraordinaire qui vient de leur arriver.

Nouvelle pêche miraculeuse

Les apôtres sont rentrés chez eux en Galilée. Après la période de tristesse qui a suivi la mort de Jésus, ils ont maintenant repris goût à la vie ; car ils savent que leur maître bien-aimé est ressuscité comme il l'avait promis ; ils l'ont vu, ils l'ont touché, ils lui ont parlé. À présent, la vie quotidienne a repris son cours. Un soir, les apôtres sont au bord du lac de Tibériade. Ils partent pour la pêche. Le métier de pêcheur est un métier plein d'imprévus ; parfois la pêche est bonne, parfois, elle est mauvaise. Cette nuit-là, les apôtres ont passé plusieurs heures à pêcher sans rien prendre. Ils décident donc de revenir à leur port d'attache. En arrivant au port, ils aperçoivent un inconnu qui leur fait signe :

— Hé ! Là-bas ! Pêcheurs !

— Oui, qu'est-ce que vous voulez, l'ami ?

— Mes enfants, auriez-vous quelque chose à manger ?

— Je regrette, nous n'avons rien. Nous avons pêché toute la nuit, mais nous n'avons rien pris...

— Jetez vos filets du côté droit de la barque, et vous trouverez du poisson.

— Qu'est-ce qu'il raconte, cet homme ; jeter nos filets du côté droit : quelle drôle d'idée ! D'abord, l'eau n'est pas assez profonde, par ici...

— On peut toujours essayer, ce n'est pas bien difficile.

— Hé ! Regardez ! Le filet est rempli de poissons ! Venez m'aider, les amis ! Allons, tirez !

— Tous ces poissons, ça me rappelle quelque chose... Cet homme au bord du lac, c'est le Seigneur !

— Mais, tu as raison ! Comment ne l'avons-nous pas reconnu plus tôt ! Seigneur ! J'arrive !

Pierre est tellement content de retrouver Jésus qu'il se jette à l'eau et se rend à la nage sur la rive pour arriver plus vite. Les autres rapprochent la barque. Les amis se rassemblent autour d'un feu pour faire un bon repas de poissons.

Thomas, l'incrédule

Depuis la mort de Jésus, les onze amis, qui l'avaient fidèlement suivi partout, étaient assez désemparés... Ils restaient ensemble, incapables de reprendre leurs occupations coutumières. Ils attendaient.

Un jour, Jésus leur apparaît et cause avec eux. À ce moment, l'apôtre Thomas était absent. Plus tard, lorsque Thomas revint, ses amis lui racontèrent l'apparition. Thomas ne voulut pas les croire.

— Si je ne vois pas dans ses mains et dans ses pieds la marque des clous, si je ne mets pas ma main dans la plaie de son côté, je ne croirai pas, dit Thomas.

À ce moment, Jésus apparaît de nouveau :

— Paix à vous. Avance ta main, Thomas. Touche la marque des clous et la plaie de mon côté. Ne sois plus incrédule, mais crois en moi.

— Mon Seigneur et mon Dieu !

— Tu as cru parce que tu as vu. Heureux ceux qui croient sans voir.

Les apparitions aux apôtres

Quelques jours plus tard, les onze apôtres sont rassemblés sur une colline de Galilée. Jésus leur avait donné rendez-vous sur cette colline. Tout à coup, Jésus paraît au milieu d'eux.

— Mes amis, tout pouvoir m'a été donné au ciel et sur la terre. Allez de par le monde, allez rencontrer des gens de toutes nations. Baptisez-les au nom du Père, du Fils, et du Saint-Esprit. Apprenez-leur à vivre selon ce que je vous ai appris. Quant à moi, je serai toujours avec vous, jusqu'à la fin du monde.

— Seigneur, nous ne sommes que des pêcheurs, de pauvres ignorants ; comment pourrons-nous remplir une telle tâche ? dit Pierre.

— Ne vous inquiétez pas ; vous que j'ai désignés pour cette mission, vous ferez des gestes qui vous surprendront vous-mêmes ; ceux qui croiront à ma parole pourront refaire ce que j'ai fait pour vous...

L'Ascension

Il y a déjà quarante jours que Jésus est ressuscité. Il est apparu plusieurs fois à ses apôtres et à ses amis pour leur prouver qu'il est bien vivant. Mais sa présence au milieu de ses amis allait prendre une nouvelle forme. Sa mission accomplie, Jésus devait retourner vers son Père. Lors de ses dernières apparitions, il fait souvent allusion au Royaume de Dieu. Mais les apôtres ne comprennent pas très bien.

— Tu ne peux pas partir, Seigneur : nous avons besoin de toi.

— Je vous enverrai l'Esprit Saint. Vous vous souvenez de Jean ? Il baptisait dans l'eau. Vous, vous serez baptisés dans la lumière du Saint-Esprit. Venez avec moi sur la montagne.

Arrivé sur le Mont des Oliviers, Jésus se tourne vers ses amis, le moment est solennel ; il va leur livrer son dernier message.

— Mes amis, je vais vous quitter, mais ne soyez pas tristes : il fallait que les paroles des prophètes s'accomplissent par moi. Le Christ devait mourir afin de ressusciter. Quant à vous, je veux que vous soyez mes témoins ; allez de par le monde entier, proclamez la bonne nouvelle à toutes les nations. Je vais vous envoyer celui que mon père a promis. Restez dans cette ville jusqu'à ce qu'il soit venu : alors, vous vous sentirez forts et intrépides. Adieu mes amis. Moi, je demeure avec vous pour toujours jusqu'à la fin du monde.

La Pentecôte

Dix jours ont passé depuis que Jésus s'est élevé vers le ciel en présence de ses apôtres. Chaque jour, ils se réunissent pour s'entretenir du temps où le Seigneur était parmi eux. Sans doute, Marie, la Mère de Jésus, vient leur tenir compagnie.

Un jour, le petit groupe des apôtres est transformé par l'Esprit Saint qui vient en eux. D'un seul coup, ils comprennent mieux l'enseignement de Jésus ; ils brûlent d'entreprendre leur mission, d'aller prêcher à tous la bonne nouvelle de l'Évangile.

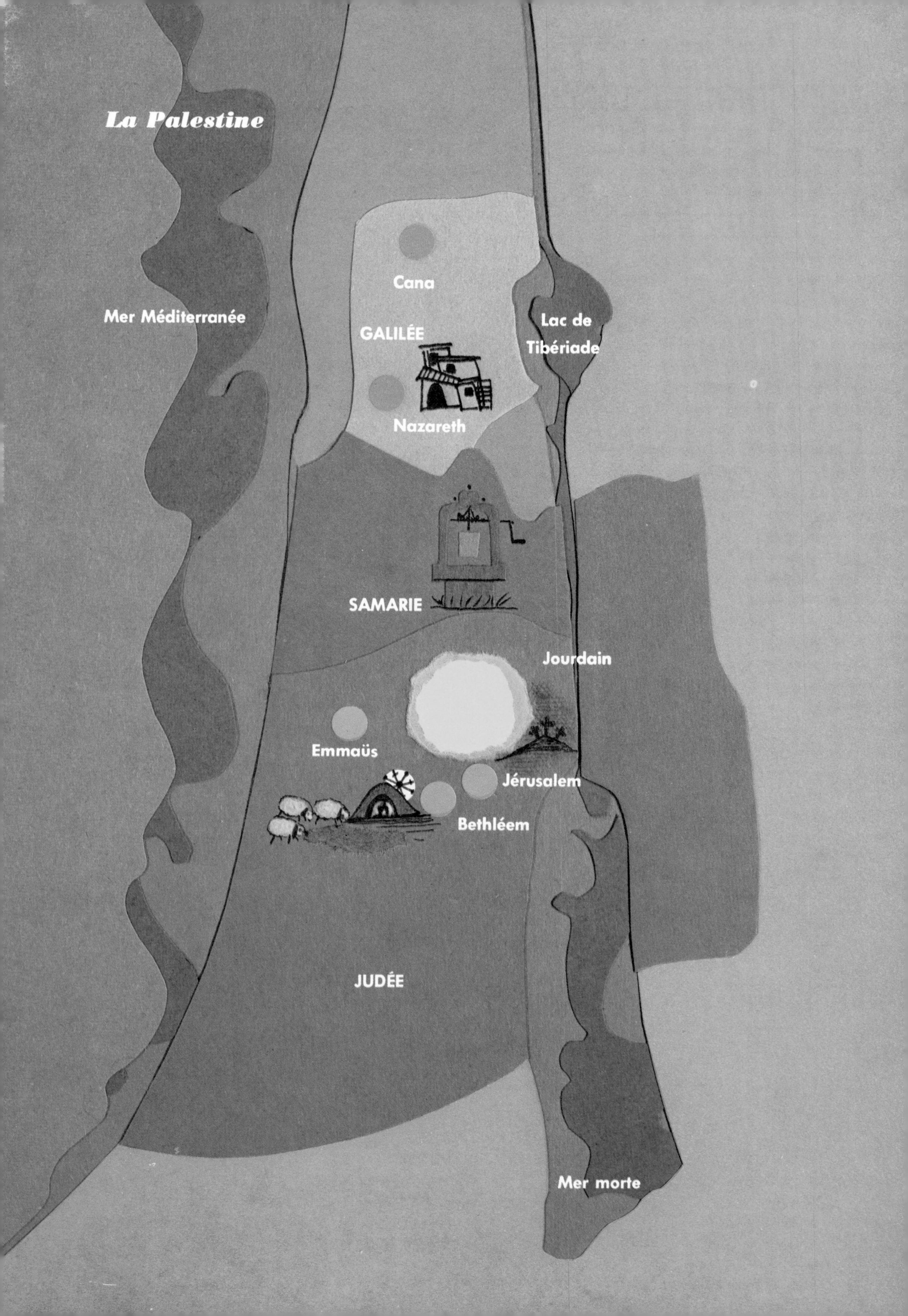

La Palestine

Mer Méditerranée

Cana

GALILÉE

Lac de
Tibériade

Nazareth

SAMARIE

Jourdain

Emmaüs

Jérusalem

Bethléem

JUDÉE

Mer morte

Table des matières